Español para chicos y grandes

Level 1

An Interactive Spanish Course for Children and Parents

Rita Wirkala

Illustrations: Matt Schutte

Editor: Karen Wirkala

All Bilingual Press, LLC

Seattle, WA 98103
www.allbilingual.com

All rights reserved-Printed in Singapore
Copyright © 2004 by All Bilingual Press, LLC

First printing: 2004
Second reprint (with revisions): 2005

ISBN 0-9745032-0-7

Dedication
To my mother who, among other things, gave me her love for language and teaching.

CONTENTS

A word to the parents

This course has been prepared with the objective of making the study of Spanish a careful, guided learning experience, wherever it is carried out, whether at school under the expertise of a teacher, or at home, as a fun and instructional activity for parents and their children. If at school, children will interact with their classmates following the pattern set by their instructor. If at home, children and parents can learn new words together and perform the dialogues and exercises following the pronunciation and intonation from the accompanying CD. Naturally, a combination of school preparation and family activities will yield the best results.

The course goes step by step through the basic vocabulary, sentences and expressions needed in everyday life. Aside from charming illustrations that add graphic expression to the lexicon, this book features **English translations whenever necessary**, as well as a workbook to reinforce each lesson, both writen and auditory. We recommend that you and your child work with this textbook first. After you have memorized the vocabulary and expressions of a chapter in the textbook, you should then go to the corresponding chapter in the Grammar and Exercise Manual and do the exercises you will find there. Then go back to the textbook and do the next lesson.

The text gives students a first glimpse into indigenous cultures that are also part of the Spanish speaking world.

This adult-child learning experience will enrich the lives of parents and children in an unforgettable way.

A word to the teachers

Chicos y grandes is designed to fill the hitherto unmet need for a basic Spanish course that can simultaneously help teachers in the classroom and parents at home. The book has been tested in several elementary schools in our area by experienced instructors. After a year of adjustment, *Chicos y grandes* has proven itself an extremely useful tool that saves teachers much time otherwise spent in preparatory work.

This is the first book of a series prepared for children in grades 2 to 7. The vocabulary and sentences are drawn from a childs everyday life, and students begin using verb conjugations early on. These are presented in exercises designed for interactive practice. Lengthy grammatical explanations are avoided.

A **workbook**, closely following the lesson sequence, contains more grammar and gives students the chance to reinforce knowledge at home. A CD, containing pronunciation exercises, dialogues, songs and listening exercises will help students to perfect the native accent and intonation of the language before they pass the critical threshold at which most of us lose this ability.

We hope that teachers will find this first level a useful teaching resource and an easy to follow method that will keep their students interested in the subject and willing to learn more.

Lección 1: Las letras
(The letters)

Las vocales *(The vowels)*

In Spanish there are 5 vowels. Their pronuncation is always the same. Here are some examples (in English words) for you to see how they sound.

a   **e**   **i**   **o**   **u**

(like in *car*)   (like in *bet*)   (like in *see*)   (like in *more*)   (like in *flu*)

 Listen to the CD

a   e   i

o   u

¡A PRONUNCIAR!

 Listen to the CD

casa   pelota   mesa   camisa

rosa   oso   osito   uno   bufanda

Los diptongos: dos vocales
(two vowels)

When you have two vowels together (a diphthong) you need to pronounce each of the vowels very clearly. Some examples are these words which you probably already know: *fiesta, seis, diez...*

 Listen to the CD and try these ones:

guante

media

huevos

veinte **20**

buey

auto

cien **100**

Más palabras *(More words):* viuda - Suiza - Europa - aire - ¡Adiós!

Los acentos y la entonación
(Accent marks and entonation)

When you see an accent mark, your voice goes up. Listen to the speaker and observe where the accent mark is placed on these words:

lám-pa-ra   *li-món*

Now, repeat after the speaker:

teléfono	*árbol*	*bebé*	*pájaro*
mamá	*papá*	*lápiz*	*composición*
café	*París*	*Perú*	*tulipán*

---

viuda = *widow;*   **aire** = *air;*   **Adiós** = *good bye;*   **árbol** = *tree;*   **bebé** = *baby;*   **pájaro** = *bird;*
lápiz = *pencil*

Las letras del alfabeto
(The letters of the alphabet)

A abeja a	**K** koala ka	**Q** quetzal cu
B burro be	**L** león ele	**R** rata erre
C cocodrilo ce	**LL** llama elle	**S** serpiente ese
D dinosaurio de	**M** mosquito eme	**T** tigre te
E elefante e	**N** nutria ene	**U** unicornio u
F flamenco efe	**Ñ** ñandú eñe	**V** vaca uve *or* ve chica
G gato ge	**O** oso o	**W** doble ve *or* uve doble
H hipopótamo hache	**P** perro pe	**X** equis
I iguana i		**Y** yak i griega
J jirafa jota		**Z** zorro zeta

---

abeja = *bee;* **burro** = *donkey;* **gato** = *cat;* **nutria** = *otter;* **ñandú** = *ostrich;* **oso** = *bear;* **perro** = *dog;* **quetzal** = *(Centro American bird);* **rata** = *rat;* **tigre** = *tiger;* **vaca** = *cow;* **zorro** = *fox*

¿Recuerdas? *(do you remember?)*

¿Cómo se dicen (how do you say) las letras?:

M	B	U	Z	J	G	
	LL	I	C	E	K	N
Q	N	O	R	T	Y	
	H	U	W	V	A	D

¿Cómo se escribe *(how do you write)* **tu nombre** *(your name)* **?**

¿Cómo se escribe tu nombre?

Se escribe ele -a- u- ere- a

¡Ah! ¿Laura?

Sí, Laura

¡Vamos a practicar!

Ask your partner to spell several words. You may ask, for example:

¿Cómo se escribe tu nombre?

¿Cómo se escribe **tu apellido** *(your last name)*?

¿Cómo se escribe el nombre de (choose one)

a) ...tu amigo?
b) ...tu perro?
c) ...tu gato?

¿Cómo se escribe ... (Say a word in Spanish that you have learned)?

Lección 2: Los saludos

(Greetings)

¡Hola!
¿Cómo te llamas?

Yo me llamo Alicia.
¿Y tú?

¡Hola Chicos!
¡Hola Chicas!

Yo = I
Tú = you

Yo me llamo
Francisco.

¿Como estás?

Some ways of asking "How are you?"

¿Cómo estás?
¿Qué tal?

Some possible answers

Bien, ¿Y tú?

Muy Bien.

Bien
Muy bien
Regular
No muy bien
Mal

¿Cómo te llamas? = *What's your name?;*   **Yo me llamo...** = *My name is ...*
¿Cómo estás? = *How are you?;*   **¿Qué tal?** = *What's up?;*   **Bien** = *well;*   **Muy bien** = *very well*
Regular = *so so;*   **No muy bien** = *not very well;*   **Mal** = *bad*

¡Vamos a practicar!

Look at the conversation between Alicia y Francisco, and practice it with your partner.

a) Ask his or her name, and say yours.
b) Then, ask how he/she is, and tell how you are.
   Look at the different options on the previous page:
   bien, muy bien, regular, mal...

You can also add these ones (they all mean *"great!"*):
   ¡fantástico!
   ¡extraordinario!
   ¡super!

MÁS SALUDOS

¡Buenos días!

¡Buenas tardes!

¡Buenas noches!

De mañana
(in the morning)

se dice...
(we say, or
people say)

¡Buenos días!

De tarde
(in the
afternoon)

se dice...

¡Buenas tardes!

De noche
(in the
evening, or at
night)

se dice...

¡Buenas noches!

Preguntas y Respuestas *(Questions and Answers)*

¿Qué decimos a la maestra? ¿al maestro?
(What do we say) (to the teacher-she) (to the teacher-he)

Buenos días, señora *(Mrs.)* **Buenos días, señor** *(Mr.)*
Buenos días, señorita *(Miss.)*

Now you know two words to ask questions: **¿cómo...?** and **¿qué...?**

Do you remember what these questions mean?

¿Cómo se dice?   ¿Qué decimos?   ¿Cómo estás?
¿Cómo te llamas?   ¿Qué tal?

¡Vamos a practicar!

Working with a partner, put the two columns together. For example:
   Estudiante 1: **¿Qué se dice de tarde?**
   Estudiante 2: **Buenas tardes**

1. *Hola, ¿Cómo estás?*	a. *Buenos días, señora*
2. *Hola. ¿Cómo te llamas?*	b. *Buenas tardes*
3. *Buenos días, chicos.*	c. *Regular*
4. *¿Qué tal?*	d. *Patricia*
5. *¿Qué se dice de mañana?*	e. *Buenos días*
6. *¿Qué se dice de tarde?*	f. *Bien, ¿Y tú?*

¡A PRONUNCIAR!

Las letras "ll" - "ñ"

You were using the words *Me llamo, Te llamas...* and you pronounced the letter
"ll" like **"y"**
Also, you said *niño, mañana, señor, español*... and you pronunced the letter
ñ like the English *"onion"*

Now, listen to the speaker and repeat the following *palabras* (words):

1. **bello** *(beautiful)* 2. **calle** *(street)* 3. **silla** *(chair)* 4. **sillón** *(armchair)* 5. **baño** *(bathroom, bath)* 6. **llama** *(lama)* 7. **llaves** *(keys)* 8. **lluvia** *(rain)* 9. **apellido** *(last name)* 10. **montaña** *(mountain)* 11. **cabaña** *(cabin)* 12. **cañón** *(canyon)* 13. **años** *(years)* 14. **araña** *(spider)* 15. **moño** *(bow)*

¿Él habla español?
y ¿ella habla español?

Él = He Ella = She

Look at the map. The countries colored in orange are Spanish speaking countries. Can you answer the questions with **Sí (yes)** *or* **No**?

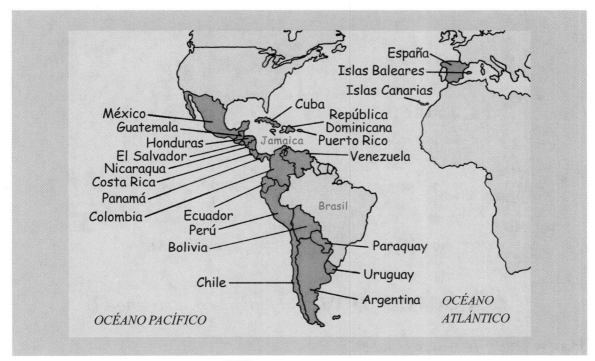

¡Atención!

Yo me llamo ...(name)

Él or Ella se llama ...(name)

		No	Sí
Se llama Roberto. Él es de Chile.	¿Habla español?	☐	☐
Se llama Lourdes. Ella es de Brasil.	¿Habla español?	☐	☐
Se llama Elisa. Ella es de Argentina.	¿Habla español?	☐	☐
Se llama Raquel. Ella es de Honduras.	¿Habla español?	☐	☐
Se llama Jackeline. Ella es de Jamaica.	¿Habla español?	☐	☐
Se llama Luis. Él es de Perú.	¿Habla español?	☐	☐

Lección 3: Los números

1 uno   **2** dos   **3** tres   **4** cuatro   **5** cinco   **6** seis   **7** siete   **8** ocho   **9** nueve   **10** diez

11 once   **12** doce   **13** trece   **14** catorce   **15** quince

16 dieciséis   **17** diecisiete   **18** dieciocho   **19** diecinueve   **20** veinte

¿Cuántos hay? *(How many ...are there?)*

Hay = *there is* or *there are*

¿Cuántas vocales hay en el español? ¿Cuántas personas hay en tu familia?	Hay cinco vocales. Hay seis personas.

1) Complete these sentences saying **los números en español**

Hay 1 león en la selva. Hay 3 tigres en el zoológico. Hay 20 pájaros en el patio. Hay 18 llamas en el corral.	Hay 4 serpientes en el árbol. Hay 14 jirafas en el parque. Hay 9 hipopótamos en el lago. Hay 7 dinosaurios en el museo.

---

selva = *jungle;* **lago** = *lake;* **parque** = *park*

¿Cuánto es...? *(how much is...?)*

2) Look at these Math exercises: **¿Están bien?   ¿O están mal?**

5		18 - ¿Está bien?
+ - ¿Está bien?		- - No, está mal.
6 - Sí, está bien,		8
11 ¡muy bien! *(very good!)*		11

¡Vamos a practicar!

Working with a partner, perform the dialogue below, using different numbers.

Use the words <u>más</u> (+) and <u>menos</u> (-)

Modelos

- ¿Cuánto es ocho + cuatro?	- ¿Cuánto es dieciséis + dos?
- Es doce	- Es diecisiete
- Está bien *or* correcto	- Está mal *or* incorrecto

¡A PRONUNCIAR!

¨C¨ and ¨QUE¨ ¨QUI¨

You have already said the words *"¿Qué?"* and *"Quince"*, which sounds like "K".
Any word with <u>QUE</u> or <u>QUI</u> has the sound "K".
Then, all of these syllables sound like "K":   **CA - QUE – QUI – CO – CU**
But! <u>**CE**</u> and <u>**CI**</u> do NOT have a "K" sound.

 Escucha *(listen)* el CD y repite estas palabras *(words)* y frases *(sentences)*:

queso – poco- poquito – clase - pequeño – quiero - parque - aquí - ¿por qué?

1. **Escribe el número cero.**
2. **Yo quiero comer cinco caramelos**
3. **- ¿Qué hay aquí?**
4. **–Hay un queso. ¡Qué curioso!**

Check your pronunciation with the CD

---

queso = *cheese;* **poco** = *a little;* **poquito** = *very little;* **clase** = *class* = **cola** = *tail;*
pequeño = *small;* **quiero** = *I want;* **comer** = *to eat;* **aquí** = *here;* **¿por qué?** = *why?*

Lección 4: Los colores

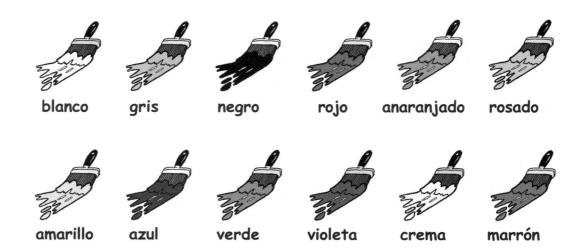

blanco   gris   negro   rojo   anaranjado   rosado

amarillo   azul   verde   violeta   crema   marrón

¡A PRONUNCIAR!

"j " , "ge" , "gi" and "h"

The letter "**j**" always sounds like English "**h**", like in *"rojo"* and *"anaranjado"*.
The combination "**ge**" and "**gi**" also sound like an English "**h**".

But! The letter "**h**" <u>is not pronounced</u>, like in "**hay**" (except for the combination CH, which sounds like the English "**ch**" as in *chair*).

 Escucha el CD y repite:

a) **jueves** *(Thursday)* – **ejercicio** *(exercise)* –**reloj** *(clock)*- **jarra** *(jar)* - **mujer** *(woman)*- **Jorge** *(George)*- **gente** *(people)*- **girasol** *(sunflower)* – **geografía** *geography)*– **gato** *(cat)*- **¡gol!** *(goal!)* – **mucho gusto** *(nice to meet you)*

b) **la hora** *(the hour-the time)* – **una zanahoria** *(a carrot)* – **un helado** *(an ice cream)* – **un hombre** *(a man)* – **coche** *(car)* – **¡Chau!*** – *good bye*

Now try these *frases*:

1. **Jorge es un chico generoso.**
2. **El general es inteligente.**
3. **"San José" es un colegio religioso.**
4. **El hombre** *(man)* **está en el hospital.**
5. **Mi papá trabaja** *(works)* **en el hotel.**
6. **Julia es mi hija** *(my daughter)*
7. **¡Hasta luego!** *(see you later)*
8. **Ángel está en Holanda**

*Italian word, used in some Spanish speaking countries.

---

selva = *jungle;* **lago** = *lake;* **parque** = *park*

¿De qué color es? *(What color is it?)*

Look at these flags and say the colors you see:

-¿De qué color es la bandera de .....? (country)

Argentina

Panamá

- La bandera de Argentina es .... y ....
- La bandera de Panamá es ...., ... y ....

Bolivia

España

La bandera de Bolivia es ...., ... y ....
La bandera de España es ...., ... y ....

Pregunta: ¿De qué color es la bandera de los Estados Unidos? *(the US)*

¡Vamos a practicar!

Working in pairs, practice the dialogues with these
preguntas y respuestas *(questions and answers)*
a) Show different objects in the room. Por ejemplo:

Estudiante 1- **¿De qué color es el teléfono?**
Estudiante 2- **El teléfono es ....(negro).**

If you do not know the object's name, say:

Est.1 - **¿De qué color** es esto *(this)*?
Est.2 - **Esto es......**

---

bandera = *flag*

Lección 5: En clase

 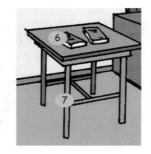 

1. el pupitre
2. el cuaderno
3. el estudiante
4. la estudiante
5. la mochila
6. los libros
7. la mesa
8. el mapa

 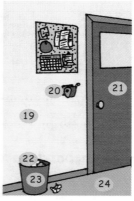 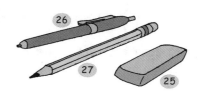

9. el techo
10. la luz
11. el reloj
12. la pizarra
13. el borrador
14. el escritorio
15. la ventana
16. la maestra
17. los papeles
18. la silla
19. la pared
20. el sacapuntas
21. la puerta
22. la basura
23. el basurero
24. el piso
25. la goma
26. el bolígrafo
27. el lápiz

¿Dónde está...? ¿Dónde están...?

(Where is ....   Where are....?)

Look at the drawings on page 20 and match each item with a location.

Use **está** for one object and **están** for two or more objects.

Modelo: *La mochila está en el piso.*

1. ¿Dónde está la mochila?	a. Está en la pared
2. ¿Dónde están los papeles?	b. Están en la mesa
3. ¿Dónde están los libros?	c. Están en el escritorio
4. ¿Dónde está la pizarra?	d. Está en el pupitre
5. ¿Dónde está la estudiante?	e. Está en el techo
6. ¿Dónde está la luz?	f. Está en el piso

¡Vamos a practicar! ¿Es correcto?

En parejas *(in pairs)*, ask and answer the *preguntas* with Sí or No
Sí, está... or No, *no está...*

Modelo: - ¿La estudiante está en el pupitre?
          - Sí, está en el pupitre.
              - ¿La luz está en el piso?
              - No, no está en el piso.

1) ¿El bolígrafo está en el piso?

2) ¿El basurero está en el pupitre?

3) ¿La mochila está en la pared?

4) ¿Los papeles están en la mesa?

5) ¿Los libros están en el escritorio?

6) ¿El estudiante está en la silla?

7) ¿El reloj está en la pared?

Más palabras

arriba de *(on* or *on top of)*
abajo de *and* **debajo de** *(under)**

¿Dónde están los papeles?   Están **arriba** de la mesa.
¿Dónde está el libro?   Está **abajo** de la mesa.

Ejercicios: Look at the drawings and say where things are.

¿Dónde está la mochila?
Está arriba de ...

¿Dónde están los papeles?
Están en ...

¿Dónde está el lápiz?
Está en ...

¿Dónde está el reloj?
Está en ...

¿Dónde está el libro?
Está abajo de ...

¿Dónde está José?
Está en ...

¡Qué desobediente!

abajo de and *debajo de* mean the same thing = under

¡Vamos a practicar!

Put some objects on the table, on the desk, on the floor, under the chair, etc., and practice the dialogue with a partner:

¿Dónde está................(name the object)*?*

For the answer, remember the words:
en, arriba de... abajo de... or *debajo de...*

Hint: if you don't remember, you can say:

¡Aquí! *(here)* or **¡Allá!** *(over there)*

Por ejemplo:

1. ¿Dónde está la mochila?
2. ¿Dónde están los papeles?
3. ¿Dónde está el libro?
4. ¿Dónde están los lápices?
5. ¿Dónde está ....(name a person)?

¡A PRONUNCIAR!

The sound "ch"

You already know how to say *chico, ocho, mucho, Chile, noche, hache.*
Here are other words to practice.

Escucha yrepite:
coche *(car)* – leche *(milk)* – muchacho *(boy)* – mapache *(racoon)* – chiste *(joke)* – chocolate – chaqueta *(jacket)* – ¡chévere!

The souds "S" and "Z"

Remember *azul?* The "Z" in Spanish sounds differently than English. In Latin American Spanish, the "S" and "Z" sound the same.

Escucha y repite:
sopa – *(soup)* – tiza *(chalk)* – profesor – zapato *(shoe)* – manzana *(apple)* – arroz *(rice)*

Lección 6: ¿Qué tienes?

TENER = *TO HAVE*

Yo tengo = *I have*   **Tú tienes** = *You have*   **Él /Ella tiene** = *He/She has*

¿Qué tiene María Luisa?
María Luisa tiene

una flor

¿Qué tiene la maestra?
La maestra tiene

un coche
nuevo *(new)*

¿Qué tiene el perro?
El perro tiene
una casa pequeña *(small)*
¡Pobrecito!
(poor thing...)

¿Qué tiene José?
José tiene una bicicleta roja

¡Qué bonita!
(how pretty!)

¿CUÁNTOS AÑOS TIENES? *(How old are you?)*

 Mateo, ¿Cuántos años tienes?

 Tengo 50 años. ¿Y tú?

 Tengo 15 años.

 ¿Cuántos años tienes?

 Tengo 19 años. ¿Y tú?

 Yo tengo 9.

 ¿Cuántos años tiene tu perro?

 Tiene 10 años. ¡Es viejo! *(he is old)*

Ejercicios:

Look at the dialogue above and answer:

1. ¿Cuántos años tiene Mateo?
2. ¿Cuántos años tiene María Luisa?
3. ¿Cuántos años tiene el perro?

¡Vamos a practicar!

Ask your partner his/her age, and then tell your age

Est. 1. *¿Cuántos ....?*
Est. 2. *Tengo.................... .... ¿Y tú?*
Est. 1. *Tengo ....*

¡A PRONUNCIAR!

"b" and "v"

In Spanish there is no difference between "b" and "v" sounds.
Escucha el CD y repite:

bota *(boot)* – vaca – bicicleta - Buenos días – Buena vista – Por favor *(please)* – bola *(ball)* – caballo *(horse)* – Venezuela – ¿Dónde vive Victoria? *(where does Victoria live?)* Ella vive en Buenos Aires.

Lección 7: Los días de la semana

(The days of the week)

¿Qué día es hoy?

Es martes

-Y, ¿Qué día es mañana?

-¡Es miércoles, por supuesto...!
(of course...!)

¿Qué día es hoy? = *what day is it today?;* **mañana** = *tomorrow*

<u>Note</u>: <u>de mañana</u> = *in the morning.* <u>mañana</u> = *tomorrow*

¿Por qué? *(Why?)* Porque... *(Because...)*

Mi día favorito es...

... el lunes, porque tengo música

...el martes, porque tengo español

... el miércoles, porque tengo educación física.

... el jueves, porque tengo ballet.

... el viernes, porque tengo fútbol *(soccer)*.

... el sábado, porque como sardinas

.. el domingo, porque vamos al parque

¡Vamos a practicar!

Con un compañero/a *(with a partner)* **practiquen las preguntas y respuestas:**

1. *¿Qué día es hoy?*
2. *¿Qué día es mañana?*
3. *¿Cuál (which) es tu día favorito? ¿Por qué?*
4. *¿Qué día NO es tu favorito? ¿Por qué?*
5. *¿Qué día tienes clases de español?*
6. *¿Qué día tienes clases de educación física (PE)?*
7. (Choose any other class. If the student does not have these classes, the answer is: *No tengo...*)

Lección 8: Los números

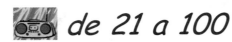 *de 21 a 100*

21 veintiuno   **22** veintidós   **23** veintitrés   **24** veinticuatro   **25** veinticinco   **26** veintiséis   **27** veintisiete   **28** veintiocho   **29** veintinueve

30 treinta   **40** cuarenta   **50** cincuenta   **60** sesenta

70 setenta   **80** ochenta   **90** noventa   **100** cien

¡Atención! Cuántos is for masculine, Cuántas is for feminine:

¿Cúantos chicos hay? ¿Cuántas chicas hay?

¿Cuál es tu número de teléfono?

When saying your phone number, use two numbers together.
For example:

Mi número de teléfono es tres, veinticinco, noventa, cincuenta y cuatro
                                 3   25   90   54

¡Vamos a practicar! Con un compañero/a,

A. Practiquen las preguntas y respuestas.

Est.1 -¿Cuántos estudiantes hay en tu clase?	Est.2 - Hay...
Est.2 -¿Cuántas letras hay en el alfabeto?	Est.1 - Hay...
Est.1 -¿Cuántos años tiene tu profesor/a?	Est.2 - Tiene...
Est.2 -¿Cuántas páginas hay en el libro de español?	Est.1 - Hay...

B. Exchange telephone numbers. Take turns asking the question:
Est.1. - ¿Cuál (which) es tu número de teléfono?
Est.2. - Mi número es ....

- ¿Cuántas estrellas hay en el cielo?   - ¡Muchas!

Mucho = a lot   **Muchos** *or* **Muchas** = many   **Pocos** *or* **Pocas** = few

---

estrellas = *stars;* **cielo** = *sky*

Canción

Dos y dos son cuatro,

cuatro y dos son seis,
seis y dos son ocho
y ocho dieciséis
Y ocho veinticuatro
y ocho treinta y dos
a mi buen amigo
yo le digo Adiós!

Yo le digo Adios! = *I say "Good bye" to him.*

 Listen to the CD and learn the song!

¡A PRONUNCIAR!

"gue" and "gui"

The pronunciation of "gue" and "gui" is like the "g" in the word *guitar*.

<u>Escucha y repite</u>: ga – gue – gui – go – gu

<u>But</u>: remember that GE and GI are pronounced like an "H".

Escucha y repite estas palabras:

1. espaguetis 2. guerra *(war)* 3. guía *(guide)* 4. Mucho gusto *(nice to meet you)* 5. Gracias. Eres generoso. 6. Tienes una guitarra vieja. 7. Él es un joven *(young)* guerrero *(warrior)*. 8. Tengo un amigo inteligente.

There is an exception: if there are two little dots on top of the Ü, then the U is pronounced.

Escucha y repite:

pingüino – bilingüe - ¡Qué vergüenza! *(what a shame! or, how embarrasing!)*

"r" and "rr"

The "rr" is rolled, and the "r" is soft. But! the "r" at the beginning of a word is also rolled, like in the word "rojo". To role the "r", think about a purring cat: PBRRRRR...

Escucha y repite:

1. perro *(dog)* 2. pero *(but)* 3. carro *(car)* 4. caro *(expensive)* 5. corro *(I run)* 6. *coro (choir)* 7. Roma 8. ¡caramba! 9. Mi perro come arroz *(rice)* ¡Qué raro! *(how strange)*, 10. Yo como turrón ¡Qué rico! *(how tasty)*

---

turrón = *a Spanish sweet, like a candy bar*

Lección 9: La hora

¿Qué hora es? (What time is it?)

Es la una	Son las tres	Son las cinco	Son las seis y media

Es la una y cinco	Son las dos y cuarto	Son las cuatro y veinte

Son las once menos diez	Son las nueve menos veinticinco	Son las doce menos cinco

Son las doce ¡Es mediodía!	Son las doce ¡Es medianoche!

¿A qué hora es tu clase?

Diálogo

- ¿Qué hora es?
- Son las 6 de la mañana
- ¡Ay! ¡qué temprano es!

(later on…)
- ¿Qué hora es?
- Son las 8:45
- ¡Ay! ¡Qué tarde es!
  Mi clase es a las 9:00...

EJERCICIOS. ¿Qué hora es?
Completa las frases:

1. Son las ....

2. Son las ....

3. Son las ....

4. Son las ....

5. Es la ....

¡Vamos a practicar! ¿A qué hora es...?

Con un compañero, practiquen las preguntas y respuestas:

<u>Pregunta</u>: **¿A qué hora es tu** ....*(complete – here are examples:)*
            clase de español? ¿de inglés? ¿de matemáticas?

<u>Respuesta</u>: **Es a las** ....*(give the time)*

Lección 10: Las estaciones y las fechas

Read the first three months of the year in Spanish. Can you guess the other nine?

LOS MESES
(The months)

LAS ESTACIONES
(The seasons)

ENERO *(January)*

FEBRERO *(February)*

MARZO *(March)*

El invierno *(Winter)*

ABRIL

MAYO

JUNIO

La primavera *(Spring)*

JULIO

AGOSTO

SEPTIEMBRE

El verano *(Summer)*

OCTUBRE

NOVIEMBRE

DICIEMBRE

El otoño *(Fall)*

¡Atención!

mes = *month*
meses = *months*

estación = *season*
estaciones = *seasons*

¿Cuándo? *(when?)*

La fecha *(The date)*

- ¿Qué fecha es hoy?	- ¿Qué fecha es mañana?
- Hoy es el 8 de enero	- ¡Mañana es el 9 de enero!

El cumpleaños *(The birthday)*

-¿Cuándo es tu cumpleaños?

-Mi cumpleaños es el 20 de abril. ¿Y tu cumpleaños?

-¡Mi cumpleaños es hoy!

-¿Cuántos años cumples?

-Doce

-¡Feliz cumpleaños!

-¡Ay!

¡Vamos a practicar!

En parejas, practiquen las preguntas y respuestas:

Est. 1 - ¿Cúando es tu cumpleaños?
Est. 2 - Es el ...... de ....
¿Y tu cumpleaños?
Est. 1 - Es el ...... de ....

Est. 2 - ¿Qué fecha es hoy?
Est. 1 - Es el ....

¿Tú sabes? *(do you know?)*
Est. 1 - ¿Tú sabes cúando es el día de la Independencia?
Est. 2 - Sí, es el ....
¿Y tú sabes cúando es Navidad? *(Christmas)*
Est. 1 – ¡Claro! Es el ....

Canción

Uno de enero, dos de febrero,
tres de marzo, cuatro de abril,
cinco de mayo, seis de junio,
siete de julio, San Fermín.
A Pamplona quiero ir,
con una media, con una media,
con una media y un calcetín

quiero ir = *I want to go*
media = *stocking,*
calcetín = *sock*

Preguntas

¿Qué meses tienen treinta días?
¿Y treinta y un días?
Memoriza este poema: ¡allí está la respuesta!:

Treinta días tiene septiembre,
con abril, junio y noviembre;
veintiocho tiene uno, y los otros,
¡treinta y uno!

¿Qué tiempo hace hoy?
¿Cómo está el tiempo? *(How is the weather today?)*

¡HACE FRÍO!
(It is cold)

HACE FRESCO
(It is chilly)

¡HACE CALOR!
(It is hot)

HACE VIENTO
(It is windy)

HACE SOL *or*
HAY SOL
(It is sunny)

ESTÁ NUBLADO
(It is cloudy)

LLUEVE
(It rains)
or
**ESTÁ
LLOVIENDO**
(It is raining)

NIEVA
(It snows)
or
ESTÁ NEVANDO
(It is snowing)

Canción

¡Que llueva!*

¡Que llueva, que llueva!
La vieja está en
la cueva,
los pajaritos cantan,
la luna se levanta...

¡Que sí! ¡Que no!
¡Que caiga
un chaparrón!

El hemisferio norte (North) y el hemisferio sur (South)
¿Tú sabes que

. . . cuando hace calor en el hemisferio norte (por ejemplo, en los Estados Unidos, Canadá, Europa, Rusia…), hace frío en el hemisferio sur? (por ejemplo, en Argentina, Chile, Australia…)	¿Y cuando hace frío en el... hemisferio norte, hace calor en el hemisferio sur?

¡Vamos a practicar!   Do the matching exercise:

(Remember: **¿dónde?** = where; **¿cuándo?** = when)

- ¿Qué tiempo hace hoy?	En la Antártida
- ¿Cuándo hace frío?	En las montañas
- ¿Cuándo hace calor?	En los países tropicales
- ¿Cuándo hace fresco?	En el invierno
- ¿Dónde hace frío? (look at the map)	En el verano
- ¿Dónde hace calor?	Hoy .... (complete the sentence)
- ¿Dónde nieva mucho?	En la primavera
- ¿Dónde llueve mucho?	En el Amazonas

*Let it rain, let it rain, the crone is in the cave, the little birds are singing, the moon is rising. Let it be, let it not, let it rain a storm.

¿Tienes frío?   ¿Tienes calor?
(Are you cold?)   *(Are you hot?)*

¡Atención!

Just as you used "tener" to indicate the age:

> Yo tengo 10 años . . .   él tiene 50 años . . .

you need to use "tener" for "frío" and "calor".

> - ¿Tienes frío?   - Brrrr . . . Sí, tengo frío.
> - ¿Tienes calor?   - ¡Uf! Sí. Tengo calor

Ejercicios

You are cold. What would you say? (Check the correct box):
❑ Tengo calor   ❑ Tengo frío   ❑ Tengo 10 años

You are hot. What do you say? (Check the correct box):
❑ Tengo calor   ❑ Tengo frío   ❑ Hace frío

It is raining. What do you say? (Check the correct box):
❑ Tengo calor   ❑ Está lloviendo   ❑ Tengo 10 años

It is 100º F. What do you say? (Check the correct box):
❑ Está nevando   ❑ Está lloviendo   ❑ Hace calor

It is a nice day. What do you say?
Hace   . . . .

¡Vamos a practicar!

En parejas, practiquen las preguntas y respuestas. (You can use MUCHO y POCO.)

Est.1 : ¿Tienes frío? *or* ¿Tienes calor?
Est.2 : No, no tengo . . . *or* Sí, tengo . . . *or* Sí, tengo mucho . . . *or*
     Sí, tengo un poco . . . ¿Y tú?
Est.1 : Yo tengo . . . *or,* Yo no tengo. . .

Lección 11: Los animales

¡Los animales también *(also)* hablan!

¿Cómo hacen? *(How do they "talk"?)*

El gallo

hace ...
¡quiquiriquí!

La gallina

hace ...*co co, co*
co co

Los
pollitos

hacen ...
¡pío, pío,
pío...!

El pato y los patitos

hacen ...*cuac,*
cuac...cuac

El ratón

hace ... *cuic, cuic,*
cuic...

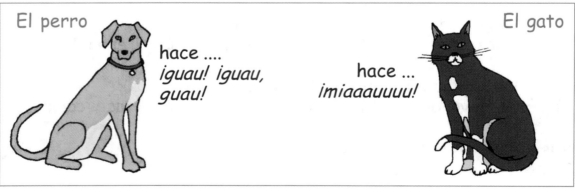

El perro

hace ....
¡guau! ¡guau,
guau!

El gato

hace ...
¡miaaauuuu!

El burro

hace ...
jijo..jijo....

La vaca

hace ...
muuuuuuu...

¿Cómo hacen? *(How do they "talk"?)*

La oveja

hace ...
*bjeee,
bjeee* ....

El lobo

hace ...
uuuuuuuuuuu

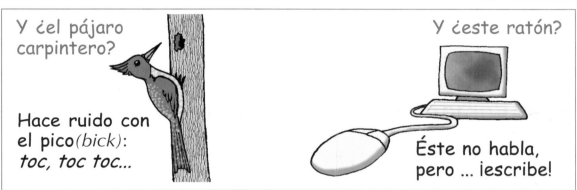

Y ¿el pájaro
carpintero?

Hace ruido con
el pico *(bick)*:
toc, toc toc...

Y ¿este ratón?

Éste no habla,
pero ... ¡escribe!

¡Vamos a practicar!

En parejas, practiquen las preguntas y respuestas con diferentes animales. (Take turns asking the questions)

EJERCICIO 1. **Modelo:**
Est. 1 – ¿Cómo hace el lobo?
Est. 2 – El lobo hace "uuuuuuuuuuuuuu"

Now choose different animals and ask the same question.

EJERCICIO 2. **Modelo:**
Est. 1 – ¿Qué animal hace *bjeee, bjeee*?
Est. 2 – La oveja

Now choose different animal sounds and ask the same questions.

Los pronombres personales:

Here is the complete set of "personal pronouns":

> **Yo** = *I*
> **Tú** = *You informal*
> **Usted** = *You formal*
> **Él** = *He*
> **Ella** = *She*
>
> **Nosotros / Nosotras** = *We*
> **Ustedes** = *You (all)*
>
> **Ellos / Ellas** = *They*

In Spanish, there is another form of *you*, which is formal: **Usted**
It is reserved for people older than you (outside your family) or for people in important positions in relation to you. For example, your teacher.

When using *Usted*, do not use "s" at the end of the verb. For example:

Laura, ¿**tú tienes** un perro? vs. Señor, ¿**Usted tiene** un perro?

Ustedes is use when you talk to more than one person.*

 ## ¡Vamos A LEER! *(Let's read)*

DIÁLOGO 1: Laura y la señora López:

Laura:	Señora, ¿Usted tiene un perro en su casa?
La sra. López:	No, no tengo un perro. Y ustedes, ¿tienes animales?
Laura:	Sí. Nosotros tenemos dos conejos.
La sra. López:	¿Están en la casa?
Laura:	¡No! Ellos tienen su casa en el jardín.

DIÁLOGO 2: Miguelito y su mamá:

Miguelito: ¡Mami, mami! Ellos tienen un conejo y una tortuga. ¿Y YO? ¡Yo no tengo animalitos! ¡Yo quiero uno!

Mamá: Bueno, bueno... mañana Nosotros vamos a comprar *(we are going to buy)* un animalito!

Miguelito: ¿Tú y yo vamos?

Mamá: Sí! ¡Nosotros! Vamos al mercado a comprar ... ¡un pescadito! *(a little fish)*

QUERER = *to want*

quiero	queremos
quieres	quieren
quiere	

*as in the English "you'll"

¡Vamos a practicar! Imagine that somebody wants to give you an animal of your choice. Tell your partner which one you want.

Modelo: - *Yo quiero una serpiente. ¿Y tú, qué quieres?*
- *Yo quiero un caballo.*

¿Adónde van? *(Where are all of you going?)*

<u>La lechuza</u>: ¿Adónde vas tan rápido *(so fast)* ?

<u>El conejo</u>: Yo voy a la escuela *(school)* ¡Es tarde!

IR = to go

Yo voy	*(I go)*	Nosotros vamos	*(We go)*
Tú vas	*(You go)*	Ustedes van	*(You all go)*
Él / Ella va	*(He/She goes)*	Ellos van	*(They go)*
Usted va	*(You go)*		

Atención: When "ir" is followed by a place, say *al ...* or *a la ...;* When it is followed by an action, say just *a ...*

¡Vamos a practicar!

Chose one dialogue, memorize the speech and perform the roles.

Diálogo 1
La tortuga: ¿Adónde va usted?
El chimpancé: Voy al gimnasio. ¿Vamos?

Diálogo 2
La abeja 1: ¿Adónde va el oso?
La abeja 2: Hummm... Pues,
  ¡Va a tu casa!

Diálogo 3
El mosquito: ¿Adónde va usted, señor?
El elefante: ¿Qué dices?* ¡No escucho!
  Repite, por favor

Diálogo 4
La mamá pata: ¿Adónde van?
Los patitos: ¿Nosotros? Vamos al agua.

Diálogo 5
El pez grande: ¿Adónde vas?
El pescadito: ¡Yo no hablo con
  extraños...!

Diálogo 6
Luisito: Papá, ¿vamos al circo?
Papá: Bueno. Vamos mañana.
  Pero...hoy tú vas a estudiar, ¿no?
Luisito: Sí, te prometo.
(Más tarde . . .)*(Later on. . .)*
Amigo: Luisito, ¿Adónde vas, tan
  despacio *(slow)*?
Luisito: Voy a la biblioteca. Voy a
  estudiar...

¿Qué dices?* = *What do you say?*

Lección 12: La familia

¿Quién es? *(Who is she/he?)*.

Alicia lleva (takes) una fotografía de su familia a la clase de español. Los amigos le preguntan: "¿Quién es?" Alicia dice:

Él es mi papá

Ella es mi mamá

Él es mi hermano

Y ésta *(this)* soy yo. ¡La hija!

Ella es mi hermana

Juliana y Marcelo son mis hermanos. Somos una familia pequeña.

Ser = *to be*	
Yo soy	Nosotros somos
Tú eres	Ustedes son
Él / Ella / Usted es	Ellos / Ellas son

Alicia (A) y Ricardo (R) conversan. Escucha y repite:

A - ¿Tienes hermanos?
R – No, no tengo hermanos.
A – Ah, tú eres hijo único. . .
R – Así es.

¡Vamos a practicar! Con un compañero,

pratica el diálogo. Modelo:

Est. 1. *¿Tienes hermanos?*
Est. 2. *Sí. Tengo un hermano y dos hermanas.*
Est. 1. *¿Cómo se llaman?*
Est. 2. *Mi hermano se llama Juan y mis hermanas se llaman Julia y Rosa.*

---

hermano = *brother*; **hermana** = *sister*; **hijo** = *son*; **hija** = *daughter*; **hijo único** = *only child*

¿Cómo es? ¿Cómo son?: Las descripciones

(What is he/she like?) (What are they like?)

- ¿Cómo es tu hermano Raúl?

- Él es alto *(tall)* y delgado *(slender)*

-¿Cómo es tu mamá?

-Ella es baja *(short)*, bonita *(pretty)* y un poco gordita. *(a little plump)*

- ¿Cómo es tu perro?
- Él es perezoso *(lazy)*. Pero ... *(But...)* es muy simpático *(friendly)*

- ¿Cómo son tus profesores?
- Ellos son buenos ... a veces. *(sometimes)*.

Con un compañero hagan las preguntas y respuestas:

¿Cómo es Raúl?   ¿Cómo es la mamá?   ¿Cómo es el perro?
¿Cómo son los profesores?   ¿Cómo es tu profesor de ...
(complete).

Otras palabras para describir:
rubio/a = *blond*   **moreno/a** = *brunnete*   **guapo/a** = *handsome*   **feo/a** = *ugly*

Can you guess these?
responsable, irresponsable, terrible, hablador (or *habladora*), *inteligente, estudioso* (or *estudiosa*)

43

Lección 13: Los parientes

(The relatives)

Los abuelos (grandparents), *los tíos* (uncles) *y los primos* (cousins) *son los parientes. Pero, ¡hay más parientes!*

Horacio lleva a clase la foto de su familia.
Los amigos preguntan : **¿Quién es?** Horacio dice:

Éstos son mis parientes.

éste / ésta = *this*	**éstos / éstas** = *these*

El árbol genealógico *(family tree)*

Éstos son mis abuelos

Éstos son mis tíos

Éstos son mis primos

Éstos son mis padres

Ésta es mi hermana

Y éste soy yo.

¡Atención!

Be careful with the pronunciation of "hermano/a", "hijo/a". The "**h**" is not pronounced and the "**j**" is like English "h".

Ejercicios

1. Mira el árbol genealógico de Horacio y responde a las preguntas:

¿Cuántos abuelos tiene Horacio? ¿Cuántos tíos tiene?
¿Tiene muchos primos y primas? ¿Tiene hermanas? ¿Cuántas?
¿Tiene hermanos?
¿Es una familia pequeña o grande?

Más vocabulario

padrastro = stepfather   **hermanastro** = stepbrother
madrastra = stepmother   **hermanastra** = stepsister
medio hermano = half brother   **media hermana** = half sister
bisabuelo = great-granfather   **bisabuela** = great-grandmother
esposos = a married couple   **padres** = parents

In Spanish you do not say sentences such as *"my mother's friend"*; you say *"the friend of my mother"*.

For example: Mi tío Luis es *el hermano de mi mamá.*
My uncle Luis is "the brother of my mom"

2. Form correct sentences by matching the first column with the second:

1. *Mi tía es*   el hijo de mi tío
2. *Mi primo es*   el hermano de mi mamá
3. *Mi abuela es*   la hermana de mi papá
4. *Mi tío es*   el papá de mi abuelo
5. *Mi prima es*   la hija de mi tío
6. *Mi bisabuelo es*   la mamá de mi papá

¡Vamos a practicar! Con un compañero

1. Pregúntense *(ask each other)* sobre *(about)* los miembros de la familia.
    Por ejemplo:

Est. 1 *¿Tienes tíos?*
Est. 2 *Sí.*
Est. 1 *¿Cuántos tíos y tías tienes?*
Est. 2 *Tengo 3 tíos y 2 tías. ¿Y tú?*
Est. 1. *Yo tengo .... y ....*
When you finish with *"tíos"*, ask about *"primos"*.

2. Review the vocabulary from p. 43, then ask your partner:
    a) who is his/her favorite relative, and b) ask for a description of the person.
    You need to use the interrogative sentences **¿Quién es?** and **¿Cómo es?**

Modelo:
Est. 1 *¿Quién es tu pariente favorito?*   Est. 2 *Es mi prima Ana*
Est. 1 *¿Cómo es ella?*   Est. 2 *Es inteligente y simpática*

Lección 14: Las partes del cuerpo *(The parts of the body)*

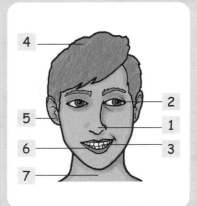

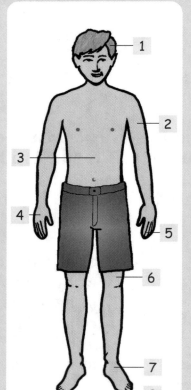

1. la cabeza
2. el brazo
3. el estómago
4. la mano
5. los dedos de la mano
6. la pierna
7. el pie
8. los dedos de los pies

1. la nariz
2. los ojos
3. los dientes
4. el pelo
5. la oreja
6. la boca
7. el cuello

Ejercicio de asociaciones:

Which animal do you associate with these parts of the body?	Which sport or instrument do you associate with these parts of the body?
conejo — *ojos grandes*	tocar *(play)* la guitarra — *brazos, manos*
jirafa — *orejas y nariz grande*	practicar baloncesto — *piernas, pies*
elefante — *piernas largas (long)*	practicar fútbol *(soccer)* — *dedos*
lechuza — *dientes y orejas grandes*	

Con un compañero

Tell each other to touch some part of the body, saying "toca" *(touch)*.

Modelo: *Toca la cabeza, toca el brazo, toca la pierna, toca la nariz... etc.*

¿Qué le pasa? *(What's the matter?)*

¿Dónde le duele? *(Where does it hurt?)*

Laura is not feeling well. Every day she has a problem. What is her problem?

Lunes:
El papá: ¿Qué te pasa?
Laura: ¡Ay! ¡Me duele aquí!
El papá: ¿Dónde?
Laura: ¡Aquí! ¡Este dedo!
El papá: ¿Quieres un BandAid?
Laura: Sí, por favor...

Jueves:
El abuelo: ¿Qué te pasa?
Laura: ¡Ay! ¡Me duele aquí!
La abuela: ¿Dónde?
Laura: ¡Aquí! ¡Este diente!
El abuelo: ¿Quieres ir al dentista?
Laura: ¡NOOOO! ¡No quiero ir al dentista!

Miércoles:
Jorge: ¿Qué te pasa?
    ¿Qué te duele?
Laura: ¡Me duele el estómago!
Jorge: ¿Quieres un té?
Laura: Bueno, gracias.

Viernes:
La mamá: ¿Qué te pasa?
    ¿Dónde te duele hoy?
Laura: ¡Me duele la cabeza, los ojos, la garganta *(throat)* y los pies!
La mamá: Pobrecita... Vamos al médico.
Laura: ¡No mamá! No quiero ir al médico. . .

¡Atención!

With the verbs *duele* and *pasa* you <u>should not use</u> the pronouns *yo, tú, él, ella,* but the pronouns *me, te* and *le:*

Me duele - Te duele - Le duele / Me pasa -Te pasa - Le pasa

Con un compañero:

1. Practiquen las preguntas y respuestas:
   1. El lunes, ¿qué le duele a Laura? ¿Y qué le ofrece *(offers)* el papá?
   2. El miércoles, ¿qué le pasa a Laura? ¿Y qué le ofrece Jorge?
   3. El jueves, ¿qué le pasa? ¿Y qué le dice el abuelo?
   4. El viernes, ¿qué problema tiene Laura? ¿Y qué le dice la mamá?

2. Estudiante 1 pretends to have a problem. Choose any part of the body and use *"me duele"*. Estudiante 2 offers something (ex: *¿Quieres un té, un chocolate, un médico, un dentista, ir a la enfermería ...?*)

---

me duele aquí. = *it hurts here;* **por favor** = *please;* **garganta** = *throat*

Lección 15: Las actividades

Un día en la vida de

Estos son Arturo y su perro Bobi.

Por la mañana, Arturo va a trabajar.

Bobi también quiere ir al trabajo, pero el chofer dice "¡No no no!"

¡Pobre Bobi! Camina a la casa frustrado.

A las 2 de la tarde, Arturo llega ...

y Bobi corre ...

salta ...

¡y besa! a Arturo.

Después, Arturo se sienta para escribir y come un sándwich.

---

vida = *life;* **camina** = *he walks;* **llega** = *he arrives;* **corre** = *he runs;* **salta** = *he jumps;*
besa = *he kisses;* **se sienta** = *he sits down;* **después** = *later;* **escribir** = *to write;* **come** = *he eats*

Arturo y Bobi

Bobi también come un sándwich...

... y toma una soda.

Más tarde, cuando Arturo lee su libro...

... Bobi mira la televisión.

Después de leer, Arturo toca la guitarra y canta ...

... pero Bobi prefiere tocar el piano.

Cuando llega la esposa de Arturo, ve al perro en su piano ...

... y dice *¡Ay! ¡Dios mío!*, *¿por qué no vas al jardín?*

Y Bobi, que es un perro obediente, se va a jugar al jardín.

Por la noche, Arturo habla por teléfono.

... y Bobi escucha la radio.

Finalmente, todos se van a dormir.

---

toma = *he drinks;* **lee** = *he reads;* **mira** = *he watches;* **toca** = *he plays (an instrument);* **canta** = *he sings;* **ve** = *she sees;* **jugar** = *to play;* **dormir** = *to sleep;* **¡Ay! ¡Dios mío!** = *Good gracious!;* **jardín** = *garden*

¿Qué hace? ¿Qué quiere hacer?

(What does he/she do? What does he/she want to do?)

Con un compañero: 👫 responde a las preguntas.

(Then check the answers at the bottom of the page)

1. Cuando Arturo toma el autobús, ¿qué quiere hacer Bobi?
2. ¿Qué dice el chofer del autobús? ¿Y qué hace Bobi?
3. ¿A qué hora llega Arturo del trabajo?
4. ¿Qué hace Bobi?
5. ¿Cómo saluda *(greets)* Bobi a Arturo?
6. Por la tarde, ¿qué come Arturo? ¿Qué toma Bobi?
7. ¿Qué lee Arturo?
8. Y mientras *(while)* Arturo lee, ¿qué hace Bobi?
9. Después de leer, ¿qué hace Arturo?
10. ¿Y Bobi?
11. ¿Qué dice la esposa de Arturo cuando ve a Bobi?
12. ¿Dónde va a jugar Bobi?
13. Por la noche, ¿qué hace Arturo?
14. Y mientras Arturo habla por teléfono, ¿qué hace Bobi?
15. Y finalmente, ¿adónde van todos?

1. El perro también quiere ir al trabajo.
2. El chofer dice "no, no,". Bobi camina a la casa.
3. Arturo llega del trabajo a las dos de la tarde.
4. Bobi corre y salta.
5. El perro besa a Arturo.
6. Arturo come un sándwich. Bobi toma una soda.
7. Arturo lee un libro.
8. Bobi mira la televisión.
9. Después de leer, Arturo toca la guitarra y canta.
10. Toca el piano.
11. Dice: ¡Ay! ¡Dios mío! ¿Por qué no vas al jardín?"
12. Va al jardín.
13. Habla por teléfono.
14. Escucha música.
15. Van a dormir.

Canción

Con mi boca digo "HOLA" y hablo bien el español. Con mis piernas juego al fútbol y también al básquetbol. Con mis ojos leo un libro y miro televisión.	Con mis manos toco el piano, con mis dedos la nariz. Con mis pies corro descalzo cuando estoy en el jardín. Con mis brazos yo te abrazo ¡y me siento muy feliz!

descalzo = *barefoot;* **te abrazo** = *I hug you;*
me siento = *I feel;* **feliz** = *happy*

Más actividades:

patinar en el hielo *(to ice skate);* dibujar *(to draw);* nadar *(to swim);* esquiar *(to ski);* pintar *(to paint);* cantar *(to sing).*

Diálogos:
1. - ¿Adónde vas para nadar?   - Voy a la piscina.
2. - ¿Adónde vas para esquiar?   - Voy a las montañas.

Ejercicio: Combina las dos columnas
¿Qué parte del cuerpo usamos para ...

1. *tocar el piano?*   los ojos
2. *caminar o correr?*   la boca
3. *leer?*   las piernas, los pies
4. *respirar?*   las orejas
5. *besar?*   la nariz
6. *abrazar?*   las piernas, los pies
7. *escuchar?*   los brazos
8. *jugar al fútbol?*   los dedos
9. *nadar?*   todo el cuerpo
10. *cantar?*   la garganta

---

piscina *or* **pileta** = *swimming pool*

Lección 16: Comidas y bebidas

(Food and drinks)

EL DESAYUNO *(breakfast)*

Para comer y para beber (or tomar) *(to eat and to drink)*

los huevos   el jugo   la leche

el pan   la mantequilla   la mermelada

el cereal   el café   el yogur

los panqueques   el azúcar   la fruta

Con un compañero practica el diálogo:

Est. 1: ¿Qué comes para el desayuno?   **Est. 2:** Como... *(complete)* ¿Y tú?

Est. 1: Yo como... *(complete)* ¿Y qué tomas?   **Est. 2:** Tomo... *(complete)* ¿Y tú?

Est. 1: Tomo... *(complete)*

---

huevos = *eggs;* **jugo** = *juice;* **leche** = *milk;* **pan** = *bread;* **mantequilla** = *butter;*
panqueques = *pancakes;* **azúcar** = *sugar;* **fruta** = *fruit*

EL ALMUERZO *(lunch, at noon)*
Para comer y para beber

la sopa

el sándwich

el atún

las galletas

la pizza

el jamón

la hamburguesa

las papas fritas

el queso

los refrescos

sal y la pimienta

el agua

la ensalada de tomates y lechuga

Con un compañero practica el diálogo:

-¿Qué comes para el almuerzo?   -Como... *(choose a food)*
 ¿Qué tomas?   -Tomo... *(choose a drink)*

---

jamón = *ham;* **queso** = *cheese;* **galletas** = *crackers;* **refrescos** = *soft drinks;* **agua** = *water*
sopa = *soup;* **papas fritas** = *french fries;* **sal** = *salt;* **pimienta** = *pepper;* **ensalada** = *salad;*
lechuga = *lettuce*

LA CENA *(dinner, supper)*
Para comer y para beber

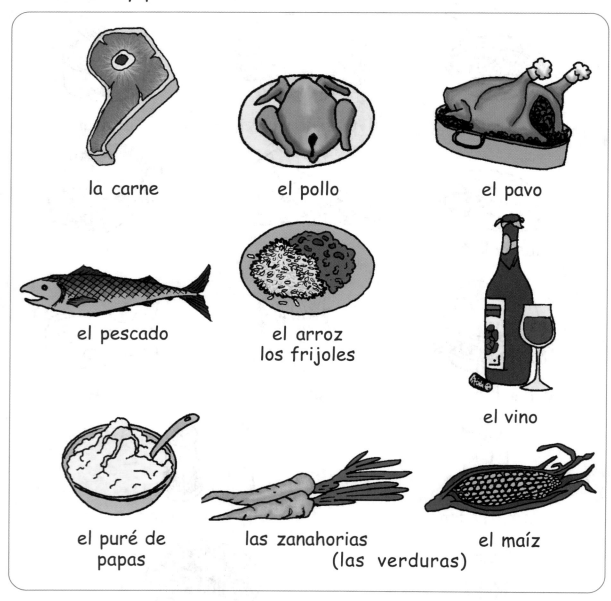

la carne

el pollo

el pavo

el pescado

el arroz
los frijoles

el vino

el puré de
papas

las zanahorias
(las verduras)

el maíz

Con un compañero practica el diálogo:

-¿Qué comes para la cena?
¿Qué tomas?
-¿A qué hora come tu familia?

- Como.... *(choose a food)*
- Tomo.... *(choose a drink)*
- Comemos a las ... *(say the time)*
  (Ej: a las seis, a las siete, a las ocho...)

---

carne = *meat;* **pollo** = *chicken;* **pavo** = *turkey;* **pescado** = *fish;* **arroz** = *rice;* **frijoles** = *beans;*
vino = *wine;* **puré de papas** = *mashed potatoes;* **verduras** = *vegetables;* **zanahorias** = *carrots;*
maíz = *corn*

LOS POSTRES *(desserts)*

| el flan | la fruta | el helado |
| el budín | el pastel | la torta |

Con un compañero practica el diálogo:

-¿Qué postre prefieres?   - Prefiero........ *(complete)*. ¿Y tú?

LA MESA

la taza   la cucharita   la jarra   la copa

el vaso   el plato   la servilleta

<u>los cubiertos:</u>

el cuchillo   la cuchara   el tenedor

---

helado = *ice cream;* **pastel** = *pie;* **torta** = *cake;* **taza** = *cup;* **cucharita** = *tea spoon;* **jarra** = *jar;*
copa = *goblet;* **vaso** = *glass;* **plato** = *plate;* **cubiertos** = *silverware;* **cuchillo** = *knife;*
cuchara = *spoon;* **tenedor** = *fork;* **servilleta** = *napkins*
<u>Note</u>: *in Mexico, "torta" is sandwich and "pastel" is cake.*

¿Para qué es? *(What is it for?)*

Palabras nuevas *(new)*

cortar	limpiarse	poner	servir	necesitar
to cut	*to clean yourself*	*to put*	*to serve*	*to need*

Ejercicio de lectura *(reading).*

Read these sentences and complete the missing words as suggested by the drawings.

_____ es para cortar la comida.

_____ es para beber el café, la leche o el té.

_____ es para beber el agua o el jugo

_____ es para limpiarse la boca

_____ es para poner la comida

_____ es para poner el azúcar en la taza

_____ es para beber el vino

_____ es para servir el agua

_____ es para tomar la sopa

_____ es para poner la comida en la boca

<u>El cucharón</u>   *(serving spoon)* es para servir la sopa

Ejercicio ¿Qué necesitamos? Combina las columnas

1. Para cortar la carne necesitamos   una cuchara
2. Para beber jugo, agua o leche necesitamos   una servilleta
3. Para beber café o té necesitamos   un vaso
4. Para tomar la sopa necesitamos   un cuchillo
5. Para limpiarnos *(clean)* la boca necesitamos   una taza
6. Para comer arroz necesitamos   un tenedor

EN LA VERDULERÍA (At the fruit and vegetable store)

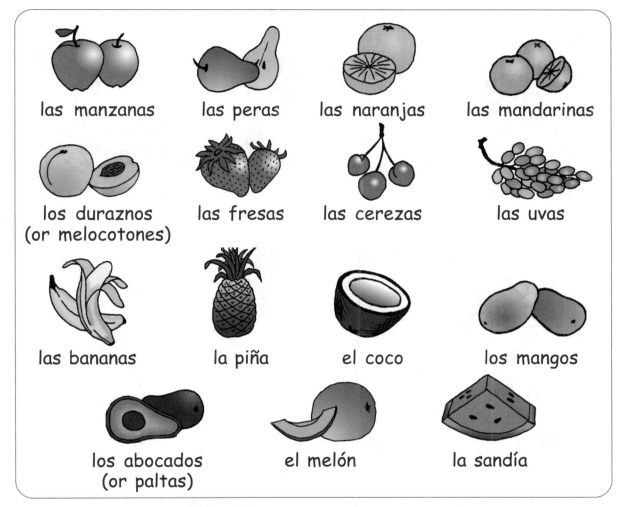

las manzanas	las peras	las naranjas	las mandarinas
los duraznos (or melocotones)	las fresas	las cerezas	las uvas
las bananas	la piña	el coco	los mangos
los abocados (or paltas)	el melón	la sandía	

¿Cuánto cuesta? ¿Cuánto cuestan?
(How much is it?)   (How much are they?)

 Diálogos

- ¿Cuánto cuesta el arroz?
- Diez pesos ($10) el kilo
- ¡Qué caro!

- ¿Cuánto cuestan las bananas?
- Cincuenta centavos ($0.50) la docena (12)
- ¡Qué barato!

Con un compañero 👫 practica el diálogo:
"¿Cuánto cuesta?". Usa comidas diferentes.

---

manzana = *apples*; **pera** = *pear*; **naranja** = *orange*; **mandarinas** = *tangerine*;
durazno *or* **melocotón** = *peach*; **fresa** = *strawberry*; **cereza** = *cherry*; **uva** = *grape*;
piña = *pineapple*; **melón** = *cantaloupe*; **sandía** = *watermelon*; **caro** = *expensive*; **barato** = *cheap*

Lección 17: ¿Tienes hambre?

(Are you hungry?)

¿Qué quieres comer?

Tengo hambre

Una hamburguesa

¿Qué quieres tomar?

Tengo sed

Agua

Ejercicios: ¿Qué quieres?
Combina las columnas 1 y 2.

1. ¿Tú quieres un sándwich de — leche?
2. ¿Tú quieres un helado de — jamón y queso?
3. ¿Tú quieres un vaso de — vainilla?
4. ¿Tú quieres un pastel de — lechuga y tomates?
5. ¿Tú quieres una ensalada de — manzanas?

Con un compañero

Practica los diálogos y expresa tu preferencia en comidas y bebidas.

DIÁLOGO 1	DIÁLOGO 2
- Tengo hambre.	- Tengo sed.
- ¿Qué quieres comer?	- ¿Qué quieres beber?
- Quiero	- Quiero ....

Tengo hambre = *I am hungry;* **Tengo sed** = *I am thirsty*

En el puesto de comidas *(At the food stand)*

¿Qué quieren comer, chicos?

Yo quiero un sándwich de queso

Y para mí, una porción de pizza

¿Y para beber?

Déme *(give me)* una naranjada, por favor

Y para mí, una Coca.

Aquí están su naranjada, su coca, su sándwich y su pizza.

¿Cuánto es todo?

Seis con cincuenta

Aquí tiene. señor

Gracias.

En grupos de 3

Play the roles of the attendant and the two clients. Read the dialogue and memorize the parts. Then perform them by heart.

Déme = *give me;* **naranjada** = *orange soft drink*

Lección 18: Las preferencias

¿QUÉ TE GUSTA? *(What do you like?)*
¿CÓMO TE GUSTA? *(How do you like it?)*

Me gusta	I like	No me gusta	I don't like
Te gusta	You like	No te gusta	You don't like
Le gusta	He or she likes	No le gusta	He/she doesn't like

Diálogo

- ¿Te gusta la pizza?
- Sí, me gusta la pizza.
- ¿Cómo te gusta la pizza?
- Me gusta SIN *(without)* cebolla *(onion)*. ¿Y a ti?
- A mí me gusta CON *(with)* <u>mucha</u> cebolla.

¡Recuerda! For "gusta" <u>do not use</u> the pronouns *yo, tú,* or *él/ella.*
Use:

ME, TE and LE

Con un compañero

1. Practica el diálogo y expresa tu preferencia para la pizza.
Recuerda: con = *with;* sin = *without.* Mira los ejemplos:

Me gusta la pizza

con...
or
sin...

aceitunas *(olives)*
tomates
jamón
queso
¿? *(create your own pizza)*

2. Pregunta qué le gusta para comer o beber.

Modelo:

Est. 1 - *¿Te gusta la comida mejicana?*

Est. 2 - *Sí, me gusta.*
or - *No, no me gusta.*

Est. 1 - *¿Qué fruta te gusta más (the most)?*

Est. 2 - *Me gusta el melón*

Other possible questions:

- ¿Te gusta comer en un restaurante?
- ¿Te gusta la comida de la escuela *(school)*?
- ¿Te gustan los pickles?
- ¿Te gusta comer huevos para el desayuno?
- ¿Qué postre te gusta?
- ¿Qué refresco *(soft drink)* te gusta?

En grupos de 3

Play the roles of the two clients *(clientes)* and the waiter or waitress *(camarero o camarera; mozo o moza, mesero o mesera)*. **Repite el diálogo**, **cambiando** *(changing)* **comidas y bebidas. Por ejemplo, you can use:**

Para beber	Para comer
agua	huevos revueltos
leche	panqueques
jugo de naranja	papas fritas
jugo de piña	una hamburguesa
jugo de *(choose a fruit)*	un sándwich de pollo
limonada	un sándwich de pavo
	carne
	un budín
	un helado
	pastel
	torta

You could follow this pattern:

Mozo	- ¿Qué quieren comer ustedes?
Cliente 1	- Quiero ... *(choose your food)*
	(or)
	Déme ...
Cliente 2	- Yo quiero ... *(choose your food)*
	(or) Para mí ....
Mozo	- ¿Y qué les gustaría *(would like)* beber?
Cliente 1	- Me gustaría ..... *(choose your drink)*
Cliente 2	- Me gustaría ...... *(choose your drink)*
Mozo	- Aquí tiene .... *(or)* Aquí está ....
Cliente (1 ó 2)	- ¿Cúanto es?
Mozo	- *(give the price)*

Lección 19: La ropa *(Clothing)*

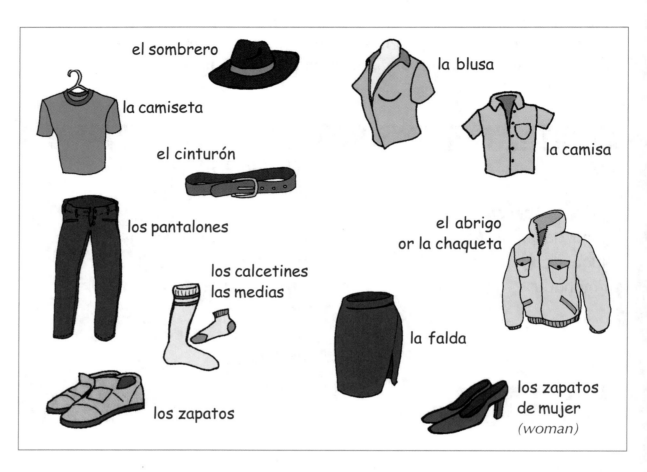

el sombrero

la camiseta

el cinturón

los pantalones

la blusa

la camisa

el abrigo
or la chaqueta

los calcetines
las medias

la falda

los zapatos

los zapatos
de mujer
(woman)

Más ropa...

los guantes

el pijama

las zapatillas
(o zapatos de tenis)

Objetos personales

el peine

el jabón

el cepillo de dientes

la toalla

Otros:

el desodorante, el perfume, el champú, el cepillo de pelo *(hair brush)*, las tijeras
(scissors), la bufanda *(scarf)*

¡Que lío, Alicia! *(What a mess...!)*

Alicia is packing for a trip and she doesn't know where things are. Her friend is helping her to find her clothes:

Alicia: **¿Dónde están mis pantalones?**
Amiga: **Están en el suelo.**
Alicia: **¿Y dónde están mis medias?**
Amiga: **Están en la silla...** *(¡Qué chica desordenada es Alicia!)*

Con un compañero

Practiquen el diálogo entre Alicia y la amiga de Alicia. Remember to use *en…, arriba de…,* or *debajo de…*

Some possible questions you can ask:

¿Dónde está mi suéter rojo?	Está ....
¿Dónde están mis zapatos?	Están ....
¿Dónde está mi gorro?	Está ....
¿Dónde están mis medias?	Están ....
¿Dónde está mi camiseta blanca?	Está ....
¿Dónde está mi bufanda?	Está ....

---

desordenado/a = *untidy/messy;* **gorro** = *cap*

En algunos *(some)* países de Latino América, la ropa es muy diferente.

Las personas que viven *(live)* en el interior del país, en el campo *(countryside)*, en las montañas y en las villas o pueblos *(villages)*, usan *(use)* ropas típicas de su cultura. Son muy coloridas y bonitas.

Observa a esta chica de Guatemala.
Ella usa la ropa tradicional de los mayas, el pueblo *(people)* indígena de Centro América.

En la cultura maya las mujeres *(women)* usan el pelo largo *(long)* y una cinta *(ribbon)* de muchos colores en la cabeza.

Esta niña usa una blusa tradicional que se llama "huipil" en la lengua maya.

También usa un cinturón negro bordado *(embroidered)* con un motivo de rosas.

Su falda es larga y ajustada *(tight)*.
Se llama "corte".

Las mamás hacen la ropa en el telar *(loom)* y las niñas aprenden *(learn)* a trabajar en el telar cuando tienen más o menos 6 años.

PREGUNTAS:
1. ¿Cómo es el pelo de la chica?   a) largo   b) corto
2. ¿Cómo es la falda de la chica?   a) larga   b) corta

los mayas

Este chico también es un maya de Guatemala.

Él vive en un pueblo que
se llama *Santiago de Atitlán.*

El pueblo está a orillas *(on the shore)* del
lago Atitlán, rodeado *(surrounded)*
de volcanes.

Su sombrero es de paja *(straw)*

Su camisa es blanca pero
puede ser *(could be)* de otro color.

También usa un cinturón.
hecho *(made)* en el telar.

Sus pantalones son
blancos con rayas *(stripes)* negras
y un poco cortos. *(short)*

Todos los mayas de Guatemala,
niños y adultos,
usan ropa similar a ésta,
pero cada *(each)* región tiene
diseños *(patterns)* y colores diferentes.

PREGUNTAS:
1. ¿Cómo son sus pantalones?

a) cortos   b) largos   c) un poco cortos

Mira el mapa de Centro América ¿Dónde está Guatemala?
¿Te gustaría visitar este país?

Lección 20: Mi casa

(My house)

Ésta es la casa de Laura

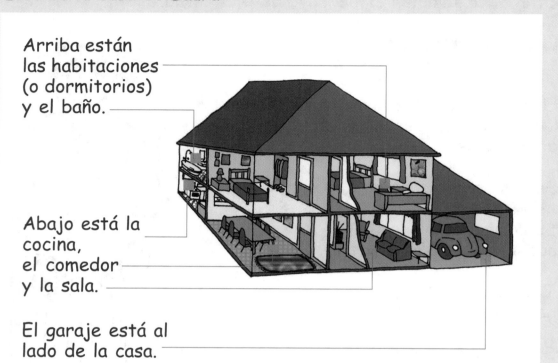

Arriba están
las habitaciones
(o dormitorios)
y el baño.

Abajo está la
cocina,
el comedor
y la sala.

El garaje está al
lado de la casa.

Diálogo entre Laura y su amiga

Amiga : ¿Cuántas habitaciones hay en tu casa?
Laura : Hay dos solamente.
Amiga : ¿Es una casa pequeña?
Laura : Sí. Somos una familia pequeña. ¡Sólo *(only)* **tres personas!**
Amiga : ¿Hay un jardín?
Laura : Sí. El jardín está en frente de la casa.
Amiga : ¿Hay un patio?
Laura : Sí. El patio está detrás de la casa.

---

cocina = *kitchen;* **comedor** = *dining room;* **sala**: *living room;*
habitaciones (*or* **dormitorios**) = *bedrooms;* **baño** = *bathroom;* **jardín** = *garden*
Prepositions: **abajo** = *under* or *downstairs;* **arriba** = *up* or *upstairs;* **al lado** = *by* or *beside;*
en frente = *in front;* **detrás** = *behind*

Los muebles y los aparatos domésticos
(Furniture) *(Appliances)*

En la cocina hay

una heladera *or* refrigerador, una estufa *or* cocina y una mesa pequeña.

En la sala hay

un televisor, un equipo de música, un sofá y una alfombra.

En el comedor hay

una mesa y 6 sillas.

En el dormitorio hay

una cómoda, un espejo, una cama y un ropero.

En el baño hay

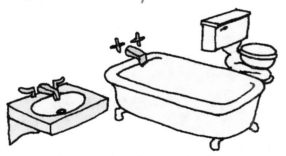

una pila (o pileta), una bañera (o tina) y un inodoro.

En el garaje hay una bicicleta ¡y muchas cosas!

---

heladera (*or* refrigerador) = *refrigerator;* **estufa (*or* cocina)** = *stove;* **alfombra** = *carpet* or *rug;*
cómoda = *dresser;* **espejo** = *mirror;* **cama** = *bed;* **ropero** = *closet;* **pila** = *sink;* **bañera** = *bathtub;*
inodoro = *toilet*

Con un compañero 👫

1. Practiquen las preguntas y respuestas sobre *(about)* **la casa de Laura:**

1. - ¿Cuántas habitaciones hay en la casa de Laura?   - Hay ...
2. - ¿Qué hay en la habitación de Laura?   - Hay ...
3. - ¿Cuántos baños hay en la casa de Laura?   - Hay ...
4. - ¿Dónde está el baño?   - Está ...
5. - ¿Dónde están las habitaciones? ¿Arriba o abajo?   - Están ...
6. - ¿Qué hay en la cocina?   - Hay ...
7. - ¿Qué hay en la sala?   - Hay ...
8. - ¿Qué hay en el comedor?   - Hay ...
9. - ¿Dónde está el patio? ¿Atrás o en frente?   - Está ...
10. - ¿Dónde está el garaje? ¿Detrás de la casa o al lado?   - Está ...
11. - ¿Dónde está el jardín? ¿Detrás de la casa o en frente?   - Está ...

2. Hagan las preguntas <u>sobre sus casas.</u> Por ejemplo:

1. ¿Cuántas habitaciones hay en tu casa?
2. ¿Cuántos baños hay?
3. ¿Dónde está el baño? ¿la sala?
4. ¿Qué hay en la sala?
5. ¿Dónde está la cocina? ¿Y el comedor?
6. ¿Hay un televisor? ¿Dónde está?
7. ¿Hay un patio? ¿Hay un jardín?
8. ¿Cuántas camas hay en tu habitación?
9. ¿Dónde está la mesa?
10. ¿Dónde estudias tú, normalmente?

El diminutivo:

Words ending in "ito" / "ita" and plurals "itos" / "itas" are used to indicate small things.   Por ejemplo:

Una <u>casita</u> es una casa pequeña.
Un <u>perrito</u> es un perro pequeño.

But diminutives are also used as endearing expressions. For example:
abuelita (abuela), mamita (mamá), papito (papá)

Una casita en las montañas

Este niño vive en una casita
en Los Andes.

¿Cómo describes su casa?

La escuelita está un poco lejos *(far away)*.
No hay un camino *(road)* para coches y, además *(besides)*, su
familia no tiene coche. Pero hay un caminito *(a trail)*.

¿Cómo va el niño a la escuela? ¡Tiene que ir en su burrito!

En la casa no hay gas ni electricidad.
La mamá tiene que preparar el fuego *(fire)* con leña *(wood)*
para cocinar *(to cook)* y para estar calentitos *(to be warm)*

**LOS ANDES son las montañas de Sud América. Mira el mapa.
Van desde** *(from)* **Venezuela hasta** *(to)* **Argentina y Chile.**

Lección 21: El pueblo *(The town)*

Este es un pueblito de Chile. En este pueblo hay:
Un **mercado** *(market or supermarket)*, **una escuela** *(school)*, **un correo** *(post office)*, **una iglesia** *(church)*, **un cine** *(movie theater)*, **una biblioteca** *(library)*, **un museo** *(museum)*, **una estación de bomberos** *(fire station)*, **un banco** *(bank)*, **varias tiendas** *(several stores)* y, por supuesto... *(of course)* ¡una plaza!

También hay: un hotel, un hospital, un aeropuerto y una estación de policía.

¿Dónde están los edificios *(buildings)*?

En el CENTRO del pueblo está la plaza.
A LA IZQUIERDA *(to the left)* DE LA plaza está la escuela.
A LA DERECHA *(to the right)* DEL museo está el mercado.
AL FRENTE *(in front)* DE LA plaza está la iglesia.
DETRÁS *(behind)* DEL hotel está el museo.
CERCA *(close)* DE LA gasolinera está la estación de bomberos
La escuela está LEJOS DEL aeropuerto.

¿Dónde vivimos?

En una ciudad *(city)*
En un barrio *(neighborhood)*
En un pueblo *(town)*
En el campo *(contryside)*

Con un compañero 👥

A) Combinen las columnas.

<u>Modelo:</u>   - ¿Adónde vamos para andar en bicicleta?
         - ¡Vamos al parque!

¡CUIDADO! : **BIBLIOTECA = *Library* / LIBRERÍA = *Bookstore***

¿Adónde vamos para.....   Vamos al.....*(or)* a la ....

1. ... comer pizza?   biblioteca
2 ... comprar comida?   panadería
3 ... leer o sacar un libro?   correo
4 ... comprar un libro?   banco
5 ... sacar dinero *(money)*?   iglesia o templo
6 ... comprar ropa?   pizzería
7 ... hacer gimnasia *(exercise)*?   librería
8 ... una clase?   tienda de ropa
9 ... una ceremonia religiosa?   restaurante
10 ... una exposición de arte?   mercado o supermercado
11 ... comprar pan?   hospital
12 ... llevar una carta *(letter)*?   parque
13 ... ver a un doctor?   cine
14 ... lavar la ropa?   escuela
15 ... cenar con la familia?   lavandería
16 ... ver una película *(film)*?   farmacia
17 ... sacar un video?   museo
18 ... comprar medicinas?   tienda de videos
19 ... jugar o correr con el perro?   gimnasio
20 ... escuchar un concierto?   teatro

B)

Tú sabes que...	¿Y qué compramos...
En la pizzería compramos pizza,	1. en la florería?
en la panadería compramos pan,	2. ¿y en la pescadería?
en la librería compramos libros.	3. ¿y en la pastelería?
	4. ¿y en la carnicería?
	5. ¿y en la zapatería?

---

comprar = *to buy;* **sacar** = *to get something;* **llevar** = *to take;* **lavar** = *to wash*

¿Qué haces el fin de semana?

 Diálogo

| ¿Qué haces el sábado? | - Si (*if*) no llueve, voy a pescar. ¿Y tú? | - Si hace sol, voy a la playa. |

Notice that "Si..." (*if*) does not have an accent; but "Sí" (*yes*) has an accent.

Con un compañero form sentences using the elements from
the three columns. Estudiante 1 asks the questions (column 1) and Estudiante
2 answers (combining columns 2 and 3).

Modelo:

- ¿Qué haces tú el domingo por la mañana?
- Si no llueve, voy a la playa.

Estudiante 1	Estudiante 2	
¿Qué haces tú...		
el sábado a la mañana?	*Si tengo dinero...*	*voy a ...(name place)*
el sábado a la tarde?	*Si llueve...*	*vamos al cine*
el domingo a la mañana?	*Si no llueve...*	*voy a la playa*
el domingo a la tarde?	*Si hace sol...*	*vamos a un concierto*
el sábado a la noche?	*Si hace calor...*	*voy a pescar con...*
el domingo a la noche?	*Si puedo* (*if I can*)	*voy...(choose any activity)*
el... (*choose other days*)	*Si ... (choose any condition)*	

Juego del "Veo-Veo"

Ver *(to see)*

Yo veo	**Nosotros** vemos
Tú ves	**Ustedes** ven
Usted ve	**Ellos/Ellas** ven
Él/Ella ve	

Est. 1 - ¡Veo veo!
Est. 2 - ¿Qué ves?
Est. 1 - Una cosa. *(something)*
Est. 2 - ¿Qué cosa?
Est. 1 - Maravillosa. *(marvellous)*
Est. 2 - ¿De qué color es?
Est. 1 - Es ...

Con un compañero play the game *Veo veo*

(After the question "¿de qué color es?", student 1 says the color of the object he/she sees, and student 2 has to guess what it is. Then students change roles)

¡Entrevista a un amigo! *(interview a friend!)*

Here are some of the questions you can ask.

1. ¿Cómo te llamas?	7. ¿Tienes un perro? ¿Otro animalito?
2. ¿Cuántos años tienes?	8. ¿Cuál es tu comida preferida?
3. ¿En qué barrio vives?	9. ¿Qué color te gusta más?
4. ¿En qué calle *(street)* vives?	10. ¿Cuándo es tu cumpleaños?
5. ¿Cuál es tu número de teléfono?	11. ¿Qué vas a hacer el domingo?
6. ¿Cuántas personas hay en tu familia?	12. ¿Qué te gusta hacer en el tiempo libre *(free time)*?

You can start your answers like this:

1. Me llamo..	*andar de bicicleta/ jugar con mis amigos*
2. Tengo.....	*ir a un restaurante con mi familia*
3. Vivo en ...	*ir al cine con mi familia*
4. Vivo en la calle.....	*leer/ mirar televisión*
5. Mi número es	*ir de compras con mi mamá/ patinar*
6. Hay ...	*nadar/ dibujar/ patinar en el hielo*
7. Sí, tengo....*or* No tengo...	*correr/ dormir/ esquiar/ pintar/ cantar*
8. Me gusta...*or* Es…	
9. Me gusta el	
10. Es el ....de	
11. Voy a	
12. Me gusta ....(see sugestions next column)	

Lección 22: Los mandatos *(commands)*

Bobi, ven aquí.

¡Siéntate!

¡Dame la pata!

Muy bien

¡Acuéstate!

Perfecto. Ahora, anda. Tráeme el periódico

¡Corre!

Muchas gracias, Bobi. Dame el periódico.

Ahora, dame un beso.

Yo quiero mucho a mi perro*

* I love my dog very much

Más órdenes

Ve = *go*
Toma = *take*
Pon = *put*
Trae = *bring*
Tráeme = *bring me*

Entra = *come in*
Tómalo = *take it*
No corras = *don't run*
Oye = *listen*

Vuelve = *come back*
Deja = *leave ...*
Dale = *give him/her*
Tómalo = *drink it or take it*

Más palabras útiles

litro: *liter*   **docena:** *dozen*   **nada:** *nothing*
siempre: *always*   **nunca:** *never*   **todo:** *all*   **algo:** *something*

 Diálogo: PEPITA Y SU MAMÁ

- Pepita, ve a la tienda y compra un <u>litro</u> de leche.
- Bueno, mamá. Dame el dinero ($).
- Toma. Aquí tienes el dinero. ¡Y vuelve rápido!
  Trae también una <u>docena</u> de huevos.
- ¿Algo más?
- Sí. Un <u>kilo</u> de azúcar.
  Pepita, ¡no corras!
- Bueno mamá. No corro. ¿Está bien?
  (Más tarde, Pepita vuelve...)
- Pepita, deja el azúcar en la mesa. Dale un poco de leche
  al gatito. Después, pon la leche y los huevos en la heladera.
- Bueno, mami. (*Siempre yo. ¿Y mi hermano? Él nunca hace nada!*)
  Oye, *Michi*. Aquí está tu desayuno. ¡Ven! ¡Tómalo todo!

Ejercicios de comprensión:

1. ¿Adónde va Pepita?
2. ¿Qué necesita su mamá?
3. ¿Qué necesita Pepita (para pagar)?
4. ¿Dónde pone el azúcar?
5. ¿Para quién es la leche?

6. ¿Dónde pone los huevos?
7. ¿Por qué la mamá le dice a
   Pepita "¡no corras!"?
8. Según *(according to)* Pepita,
   ¿Quién trabaja más? ¿Ella o su
   hermano?

*****dejar** = *to leave a thing somewhere;* **salir** = *to leave a place, for a person only;*
pagar = *to pay*

Lección 23: ¿Qué tenemos que hacer? *(What do we have to do...?)*

¿Cómo están ellos?
¿Qué tienen que hacer?

> **Tener que...***(To have to do... something)*: una obligación
> **Por ejemplo:** Julia está <u>aburrida</u>. *(bored)* **Tiene que ir a jugar**

1) Pepita está cansada... *(tired)*
   Tiene que descansar *(to rest)*.

2) Raúl está muy flaco... *(slender)*
   Tiene que comer más.

3) Toto está un poco gordo... *(fat)*
   Tiene que hacer más ejercicios.

4) El papá está preocupado... *(worried)*
   Tiene que tomar unas vacaciones.

5) Arturo está enfermo... *(sick)*
   Tiene que ir al doctor para   examinar su garganta

6) Bobi está enojado... *(mad)*
   Tiene que calmarse ...

7) Mateo está triste... *(sad)*
   Tiene que tener pensamientos positivos...
   (positive thoughts)

¿Y qué le decimos a cada uno *(to each of them)*?

Decir = *to say*

Yo digo	Nosotros decimos
Tú dices	Ustedes dicen
Usted dice	Ellos / Ellas dicen
Él / Ella dice	

Le decimos:

Raúl está muy flaco.	Raúl, ¡Come este chocolate!
Toto está un poco gordo.	Toto, ¡Practica ejercicios! ¡Corre!
El papá está preocupado.	Papá, ¡Vamos de vacaciones!
Arturo está enfermo.	Arturo, ¡No vayas *(don't go)* a trabajar!
Bobi está enojado.	Bobi, ¡Ven! Toma un bizcocho *(cookie)*.
Mateo está triste.	Mateo ¡Qué cara! *(What a face!)*
	¿Qué te pasa? *(What is happening to you?)*

Con un compañero imaginen estas situaciones y den soluciones.

Modelo:
Est. 1. Estoy cansado
Est. 2. ¡Acuéstate!

Est.1: Situaciones
1. Estoy flaco
2. Estoy gordo
3. Estoy preocupado
4. Estoy enfermo
5. Estoy triste
6. Estoy enojado

Est.2: Posibles soluciones *(choose the best)*
- Ve al cine
- Ve al médico
- Ven a mi casa para escuchar música
- Toma un té
- No vayas a la escuela
- Bebe agua solamente
- Come mucho helado
- Cálmate
- Ve a la escuela en bicicleta. No vayas en auto o en bus
- Vuelve temprano a casa

¿Otras soluciones?

Lección 24: ¿Qué está haciendo?

(What is he/she doing?)

¿Qué está haciendo el profesor?
What is the professor doing?
Está hablando
He is speaking

To indicate an activity that you or somebody is doing, use:

> "estar" + the verb ending in "–ando" or "–iendo"

Yo estoy hablando	Nosotros estamos hablando
Tú estás hablando	Ustedes están hablando
Él / Ella está hablando	Ellos están hablando
Usted está hablando	

Aquí hay otras actividades:

Verbs ending in – ar	Verbs ending in – er	Verbs ending in – ir
jugar = *jugando*	comer = *comiendo*	pedir = *pidiendo*
cantar = *cantando*	leer = *leyendo*	vivir = *viviendo*
estudiar = *estudiando*	correr = *corriendo*	dormir = *durmiendo*

¿Puedes decir qué están haciendo estos animales o personas?

¡Atención! Do not say "haciendo" in your answer. Choose the action.

¿Que está haciendo el gato?

 ¿Qué está haciendo el pájaro?

 ¿Qué está haciendo el chico?

¿Qué está haciendo el gusano?

Con un compañero One student acts out an action and asks:

- ¿Qué estoy haciendo?   The other student has to guess....
- Estás (*escribiendo, comiendo, dibujando,* etc.).   Then change roles.

Canción

La rana

Estaba la rana cantando debajo del agua. *(The frog was singing under the water)*
Cuando la rana se puso a cantar *(When the frog started to sing)*
vino el sapo y la hizo callar. *(the toad came and made her be quiet.)*

Estaba la rana, el sapo, cantando debajo del agua.
Cuando el sapo se puso a cantar,
vino el gato y lo hizo callar.

Estaba la rana, el sapo, el gato
cantando debajo del agua.
Cuando el gato se puso a cantar,
vino el perro y lo hizo callar.

Estaba la rana, el sapo, el gato, el perro
cantando debajo del agua.
Cuando el perro se puso a cantar,
vino el perro y lo hizo callar.

.....
etc. Add: la vaca, el burro, el mono...y el hombre

To finish:
Estaba el (name all the animals..) y el hombre cantando debajo del agua.
Cuando el hombre se puso a cantar,
vino mi amigo (name a friend) y lo hizo callar.

Appendix 1

Dictionary of expressions Spanish-English

Adiós	*goodbye*
¡Ay!	*Ouch!*
Bien, gracias	*Fine, thank you*
Buen provecho	*Enjoy your meal*
Buenas noches	*Good evening, good night*
Buenas tardes	*Good afternoon*
Buenos días	*Good morning*
¿Cómo está?-¿Cómo estás?	*How are you?*
¿Cómo se dice...?	*How do you say...?*
¿Cómo te llamas?	*What is your name?*
Con permiso...	*Excuse me, may I...?*
¿Cuánto cuesta?	*How much is it?*
¿Cuántos años tienes?	*How old are you?*
¡Cuidado!	*Watch out! Be careful!*
De nada	*You are welcome*
¿Dónde está...?	*Where is ...?*
¿Dónde vives?	*Where do you live?*
Gracias	*Thank you*
Hola	*Hello, Hi!*
Muchas gracias	*Thank you very much*
No comprendo	*I don't understand*
Perdón	*I'm sorry*
Pobre-Pobrecito/a...	*Poor thing...*
Por favor	*Please*
Preguntas	*Questions*

¡Qué bonito!	*How pretty!*
¡Qué bueno!	*Cool!*
¿Qué es esto?	*What is this?*
¿Qué hora es?	*What time is it?*
¡Qué lástima!	*What a pity!*
¿Qué se dice...¿ Qué quiere decir...? Qué tal?¿	*What do you say...?* *What's up?What does ... mean?* *How are you?*
Repita, por favor Respuestas	*Repeat, please.* *Answers*
¡Socorro!	*Help!*
Tengo 10 años.	*I am 10 years old*

Appendix 2

A

abajo = under
abeja = bee
abrazar = to hug
abrigo = coat
abrir = to open
abuela = grandmother
abuelo = grandfather
aceituna = olive
acostarse = to go to bed
actividad = activity
además = besides
adentro = inside
adiós = good bye
adulto = adult
agua = water
aire = air
alfombra = carpet
algo = something
al lado de = beside / next to
almorzar = to have lunch
almuerzo = lunch
alto / a = tall
amarillo = yellow
amigo / a = friend
anaranjado / a = orange
anadar = to go, to walk
año = year
apellido = surname
aprender = to learn
aquí = here
árbol = tree
arriba = above
arroz = rice
asistir = attend
atún = tuna
auto = car
autobus = bus
azúcar = sugar
azul = blue

B

banco = bank / bench
bajo / a = short
bandera = flag
bañera = bathtub
baño = bathroom

barato = inexpensive / cheap
barrio = neighborhood
basura = trash
bebé = baby
beber = to drink
bebida = drink
besar = to kiss
beso = kiss
biblioteca = library
bicicleta = bike
bien = well
bizcocho = cookie
blanco / a = white
blusa = blouse
boca = mouth
bolígrafo = pen
bombero = fireman
bonito / a = pretty
borrador = eraser
brazo = arm
budín = pudding
bueno / a = good
buey = ox
bufanda = scarf
burro = donkey
buscar = to look for

C

caballo = horse
cabello = hair
cabeza = head
cada = each
café = coffee
calcetines = socks
calle = street
cama = bed
caminar = to walk
camino = road
camisa = shirt
camiseta = t-shirt
campo = countryside
cansado / a = tired
cantar = to sing
cara = face
carne = meat
carnicería = butcher shop
caro = expensive
casa = house
cebolla = onion
cena = dinner

cenar = to have dinner
cepillo = brush
cerca = near
cereal = cereal
cerezas = cherries
chica = girl
chico = boy
cine = movie theater
cinturón = belt
circo = circus
ciudad = city
clase = class
coche = car
cocina = kitchen
coco = coconut
cocodrilo = crocodile
color = color
colorido / a = colorful
comedor = dining room
comer = to eat
comida = meal / food
¿cómo...? = how...?
cómoda = chest of drawers
compañero = classmate
composición = composition
comprar = to buy
con = with
concierto = concert
conejo = rabbit
contento = happy
conversar = to talk
copa = glass
correos = post office
correr = to run
cortar = to cut
corto / a = short
cosa = thing
crema = cream
cuaderno = notebook
¿cuándo...? = when... ?
¿cuánto / a ...? = how much?
¿cuántos / as...? = how many ?
cubiertos = silverware
cuchara = spoon
cuello = neck
cuerpo = body
cumpleaños = birthday

D

dar = to give
debajo = under

decir = to say
dedo = finger or toe
dejar = to leave
delgado / a = thin
derecha = right
desayunar = to have breakfast
desayuno = breakfast
descansar = to rest
describir = describe
despacio = slowly
después = later / afterwards
detrás de = behind
día = day
dibujar = to draw
dientes = teeth
docena = dozen
doler = to hurt
domingo = Sunday
¿dónde...? = where?
dormir = to sleep
dormitorio = bedroom
durazno = peach

E

educación física = Physical Education
elefante = elephant
ejercicio = exercise
encima = on top of
enfermo / a = sick
en frente de = in front of
ensalada = salad
entrar = to enter
entre = between
escribir = to write
escritorio = desk
escuchar = to listen
escuela = school
español = Spanish
espejo = mirror
esquiar = to ski
estación = season / station
estar = to be
estómago = stomach
estudiante = student
estudiar = to study
estufa = stove or heater

F

falda = skirt
familia = family
farmacia = pharmacy
favorito / a = favorite
fecha = date
feliz = happy
feo / a = ugly
flaco / a = thin
flan = custard
flor = flower
florería = flower shop
foto = photo
frasco = glass
fresas = strawberries
frijoles = beans
frío = cold
fruta = fruit
fuego = fire
fútbol = soccer

G

galleta = cracker / cookie
gallina = hen
gallo = rooster
garage = garage
garganta = throat
gato = cat
generoso / a = generous
goma = eraser
gordo / a = fat
gracias = thanks
grande = big
gris = grey
gritar = to shout
guante = glove
guapo / a = handsome
guisantes = peas
gustar = to like

H

habitación / dormitorio = bedroom
hablar = to speak
hace calor = it is hot
hace frío = it is cold

hacer = to do / to make
hamburguesa = hamburger
hay = there is / there are
hasta luego = see you later
heladera = refrigerator
helado = ice cream
hermana = sister
hermano = brother
hija = daughter
hijo = son
hipopótamo = hippopotamus
hombre = man
hora = time / hour
hospital = hospital
hoy = today
huevos = eggs

I

iglesia = church
inteligente = intelligent
invierno = winter
ir = to go
izquierda = left

J

jabón = soap
jamón = ham
jardín = garden
jarra = jar
jirafa = giraffe
jueves = Thursday
jugar = to play
jugo = juice

L

lago = lake
lámpara = lamp
lápiz = pencil
largo / a = long
lavandería = laundry
lavar = to wash
leche = milk
lechuga = lettuce
leer = to read
legumbres = vegetables

lejos = far
león = lion
letra = letter
levantarse = to get up
librería = bookstore
libro = book
limón = lemon
limpiar = to clean
litro = liter
lobo = wolf
lunes = Monday
luz = light

LL

llama = lama
llamarse = to be called / named
llegar = to arrive
llevar = to take
llover = to rain

M

maestro / a = teacher
maíz = corn
mal = bad
mamá = mother
mandarina = tangerine
mango = mango
mano = hand
mantequilla = butter
manzana = apple
mañana = morning / tomorrow
mapa = map
marrón = brown
martes = Tuesday
medias = socks
medianoche = midnight
médico = physician
mediodía = midday
melón = canteloupe
mercado = market
mermelada = jam
mes = month
mesa = table
miércoles = Wednesday
mirar = to look / to watch
mochila = backpack
mono = monkey
montaña = mountain

moreno / a = brunette
mozo = waiter
mucho / a = a lot
muchos / as = many
mujer = woman
museo = museum
música = music
muy = very

N

nada = nothing
nadar = to swim
naranja = orange
naranjada = orange soft drink
nariz = nose
necesitar = to need
negro / a = black
nevar = to snow
niña = girl
niño = boy
nombre = name
noche = night
nuevo / a = new
número = number
nunca = never
nutria = otter

Ñ

ñandú = ostrich

O

ofrecer = offer
oir = to hear
ojos = eyes
oreja = ear
oso = bear
otoño = fall
oveja = sheep

P

pagar = to pay
país = country
paja = straw

pájaro = bird
pan = bread
panadería = bakery
panqueque = pancake
pantalones = pants
papá = father
papa = potato
papas fritas = french fries
papel = paper
¿para qué? = what for?
parar = to stop
pared = wall
parientes = relatives
parque = park
pasar = to happen / to pass
pastel = pie / cake
patinar = to skate
patio = patio
pato = duck
pavo = turkey
pedir = to ask for
película = movie
pelo = hair
pelota = ball
pequeño / a = small
pera = pear
perezoso = lazy
periódico = newspaper
perro = dog
persona = person
pescado = fish
pez = fish
pié = foot
pierna = leg
pileta = sink /pool
pimienta = pepper
pintar = paint
piña = pineapple
piscina = swimming pool
piso = floor
pizarra = blackboard
plato = plate
playa = beach
pobre = poor
poco = a little
poder = to be able to
policía = police
pollo = chicken
poner = to put
porque = because
¿por qué? = why?
por supuesto = of course
postre = dessert

practicar = to practice
preferir = to prefer
pregunta = question
preguntar = to ask
preocupado / a = worried
preparar = to prepare
primavera = spring
primo / a = cousin
problema = problem
pueblo = town
puerta = door
pupitre = student desk
puré de papas = mashed potatoes

Q

¿qué...? = what...?
queso = cheese
querer = to want / to love
quetzal = quetzal (bird)
¿quién...? = who...?

R

rápido = fast
rata = rat
rayas = stripes
refresco = pop
refrigerador = refrigerator
regular = so so, not very well
reloj = clock
responder = to answer
respuesta = answer
rodear = to surround
rojo / a = red
ropas = clothes
ropero = wardrobe
rosa = rose
rosado = pink
rubio / a = blond

S

sal = salt
sala = living room
saltar = to jump
saludar = to greet
saludos = greetings

sandía = watermelon
sándwich = sandwich
selva = jungle
semana = week
sentarse = to sit down
señor = Mr.
señora = Mrs.
señorita = Miss
ser = to be
serpiente = snake
servilleta = napkin
servir = to serve
siempre = always
silla = chair
sillón = armchair
simpático = nice
sol = sun
solamente = only
sombrero = hat
sopa = soup
suéter = sweater

T

también = too
tarde = afternoon / late
taza = cup
té = tea
teatro = theater
techo = ceiling / roof
teléfono = telephone
televisor = t.v. set
temprano = early
tenedor = fork
tener = to have
tiempo = weather / time
tienda = store
tigre = tiger
tío / a = uncle / aunt
tocar = to play an instrument/ to touch
todo = all
toalla = towel
tomar = to take / to drink
tomate = tomato
torta = cake/sandwich (Mex.)
tortuga = turtle
trabajar = to work
triste = sad
tulipán= tulip

U

unicornio = unicorn
usar = to use / to wear
uvas = grapes

V

vaca = cow
vaso = glass / cup
venir = to come
ventana = window
ver = to see
verano = summer
viejo / a = old
viento = wind
viernes = Friday
vino = wine
viuda = widow
vivir = to live
volver = to come back

Y

yogur = yogurt

Z

zanahoria = carrot
zapatillas = tennis shoes
zapatos = shoes
zoológico = zoo
zorro = fox

Rita Wirkala was born and raised in Argentina; she lived in Brazil, and then moved to the United States, where she received a PhD in Spanish Literature.

As a teacher of levels ranging from elementary school to University, she knows both the difficulties and the potentialities that the unique process of learning a foreign language provides. Furthermore, as the mother of three daughters who were born in a non-Spanish speaking country and learned Spanish directly from her, the author is vividly aware that exposure to other languages early in life is the key to fluency.

The author's determination to help other children acquire such abilities prompted her to develop the present text.

With the goal of opening the doors of the Hispanic world to her students, Rita annually organizes trips to various countries. These trips combine the study of language, culture and community service; her interest in cultural issues is reflected in the present text.

She is also the founder of ASISTA! (*Association for the Support of Indigenous Schools Throughout the Americas*), a non profit organization based on the voluntary work of her and her students. For more details see Rita's website at:

http://faculty.washington.edu/ritaw